PRACTIDEAS

objetos en
crochet

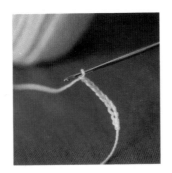

POR LA PROFESORA MARTA BUERBA

longseller

Cajita de recuerdos

Sencilla de realizar, muy novedosa y con múltiples usos.

Materiales

●Hilo macramé: 40 g en color rosa Dior, un poco de turquesa, verde, fucsia y amarillo oro ●6 cucharadas de azúcar ●Aguja de crochet de acero Nº 1

REFERENCIAS

COSTO

$ BAJO $ MEDIO $ ALTO

TIEMPO

POCO   MEDIO   MUCHO

DIFICULTAD

POCA   MEDIA   MUCHA

Para la base, con color rosa Dior hacer una anilla, tejer 3 p. cadena para subir y continuar siguiendo el diagrama de base, cerrando con 1 p. enano. En la 5º hilera tejer en p. vareta picando cada una en 1 medio p. de la hilera anterior. Al finalizar la 14ª hilera cerrar con 1 p. enano, cortar la hebra y rematar.

Con rosa comenzar la tapa haciendo una anilla y continuar según el diagrama de tapa. Al finalizar la 8ª hilera cortar la hebra y rematar.
Para las flores hacer una anilla y continuar según el diagrama de flor. Cortar la hebra y rematar. Hacer 2 flores turquesa, 1 fucsia y 1 amarilla oro. Las hojas se hacen con

verde comenzando con una anilla y tejiendo 6 p. cadena. Luego hacer 1 vareta triple sin terminar, 1 p. vareta doble sin terminar, 1 p. vareta sin terminar y por último hacer 1 p. media vareta cerrando todos los p. vareta anteriores. Azucarar la tapa y la base (pág, 53). Pegar las flores y las hojas en la tapa.

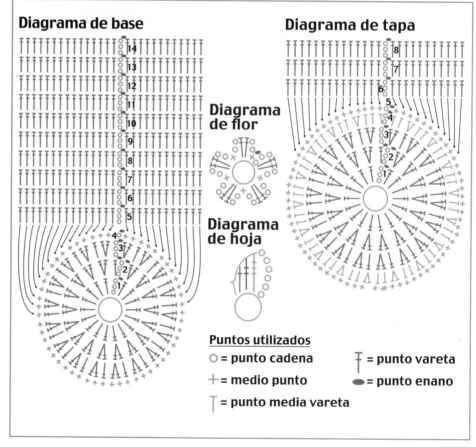

Diagrama de base

Diagrama de tapa

Diagrama de flor

Diagrama de hoja

Puntos utilizados

○ = punto cadena   ┬ = punto vareta

+ = medio punto   ● = punto enano

┰ = punto media vareta

Casquete de chenille

Sombrero tipo cloche en negro, verde y rojo, con una guarda con motivos geométricos.

Con chenille negro hacer una cadena de 4 p. y formar un anillo cerrando con 1 p. enano. 1ª hilera: tejer 12 p. vareta y cerrar con 1 p. enano. En la 2° hilera duplicar la cantidad de puntos y luego continuar en vueltas cerradas con 1 p. enano, aumentando hasta obtener un círculo de 17 cm de diámetro, quedan 108 p. A partir de allí, tejer sin aumentos en p. vareta por 5 hileras. Comenzar la guarda y distribuir los colores siguiendo el dibujo jacquard; hacer las hileras 1 y 6 en p. media vareta, las restantes se hacen en medio p.

Terminada la guarda, tejer con negro 3 p. cadena para subir, 107 p. vareta y cerrar con 1 p. enano. Hacer 2 hileras más para formar el ala, aumentando en la primera 1 p. cada 8 p. y en la siguiente hilera cada 9 p. Cambiar a color verde y tejer 2 hileras en medio p. sin aumentar. Terminar con 1 hilera en p. cangrejo con el color rojo, cortar la hebra y rematar.

La altura total del sombrero, tomada desde el centro es de 21 cm.

Materiales
- Chenille: 100 g en color negro, 30 g en color verde y 20 g en color rojo
- Aguja de crochet N° 3

Dibujo jacquard

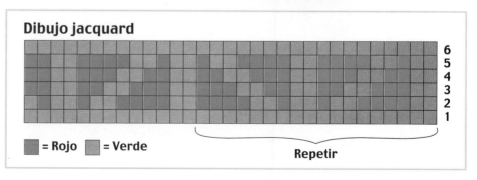

6
5
4
3
2
1

■ = Rojo   ■ = Verde

Repetir

Para el baño

Este set
está tejido
con tela
cortada en tiritas
y algodón gordo
en varias hebras,
aplicando
una técnica
de enganche.

Materiales

- Algodón rústico finito: 300 g en color blanco y 200 g en color verde manzana
- Jersey de poliamida: 1 metro en color verde manzana y 1 metro en color blanco
- 1 cesto de 26 cm de alto, 16 cm de diámetro de base y 21 cm de diámetro superior
- Aguja de crochet N° 7

ALFOMBRA
Comienzo

Cortar el jersey blanco en tiras de 1,5 cm de ancho y unirlas siguiendo los dibujos. Hacer lo mismo con el jersey verde. Con las tiras blancas tejer 18 p. cadena y continuar según el diagrama. Distribuir los colores y los materiales de la siguiente manera:

1ª y 2ª hileras: tejer con tiras de jersey blanco.

3ª hilera: matizado de hilo de algodón 4 hebras verdes y 4 hebras blancas.

4ª hilera: con tiras de jersey blanco.

5ª hilera: tiras de jersey verde.

6ª hilera: intercalar 3 p. vareta de jersey verde con 3 p. vareta de hilo de algodón con 8 hebras blancas.

7ª hilera: tiras de jersey verde.

8ª hilera: tiras de jersey blanco.

9ª y 10ª hileras: matizado de hilo de algodón 4 hebras verdes y 4 hebras blancas.

11ª hilera: hilo de algodón con 8 hebras blancas.

12ª hilera: matizado de hilo de algodón 4 hebras verdes y 4 hebras blancas. Cortar el jersey y rematar.

Terminación

Tejer la puntilla siguiendo el diagrama con tiras de jersey blanco.

Diagrama de alfombra

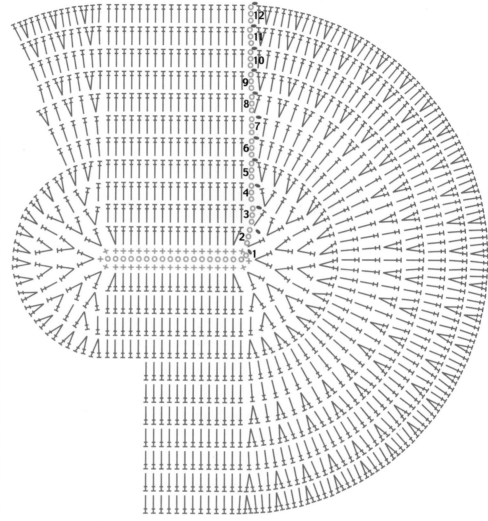

CÓMO UNIR LAS TIRAS

1

Para unir 2 tiras de tela hacer en cada una un corte de 2 cm de largo a 1,5 cm del borde.

2

Colocar el final de la 2ª tira sobre el comienzo de la 1ª haciendo coincidir los cortes.

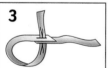

3

Pasar el extremo final de la 2ª tira de abajo hacia arriba, a través de los cortes.

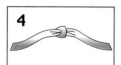

4

Tirar para formar un pequeño nudo. De esta manera unir entre sí las tiras.

Diagrama de borde

Puntos utilizados

○ = punto cadena

+ = medio punto

⊤ = punto vareta

⬭ = punto enano

CESTO
Comienzo

Con 4 hebras blancas y 4 hebras verdes de hilo de algodón tejer 4 p. cadena y cerrar formando un anillo con 1 p. enano.

1ª hilera: 1 p. cadena para subir y 9 medio p. alrededor del anillo, cerrar con 1 p. enano.

2ª hilera: 1 p. cadena para subir, 2 medio p. en cada medio p. de la hilera anterior y 1 p. enano para cerrar, quedan 18 p.

3ª hilera: 3 p. cadena para subir, *1 aumento (2 p. vareta sobre 1 p. de base), 1 p. vareta*, repetir de * a * y cerrar con 1 p. enano, quedan 27.

4ª hilera: igual a la 3ª hilera; quedan 39 p. En esta hilera se llega al diámetro de la base, de lo contrario continuar hasta la medida deseada.

5ª hilera: tejer 3 p. cadena para subir, 38 p. vareta y cerrar con 1 p. enano.

6ª hilera: con 8 hebras de hilo de algodón blanco tejer 3 p. cadena, 38 p. vareta y cerrar con 1 p. enano.

7ª hilera: con tiras de jersey verde tejer 3 p. cadena y continuar en p. vareta, aumentando 1 p. cada 4 p. vareta y cerrar con 1 p. enano, quedan 47 p.

8ª hilera: con 8 hebras de hilo de algodón blanco tejer 3 p. cadena para subir, 46 p. vareta y cerrar con 1 p. enano.

9ª hilera: con 4 hebras verdes y 4 hebras blancas de hilo de algodón tejer igual a la hilera anterior.

10ª hilera: con 8 hebras de hilo de algodón blanco tejer 3 p. cade-na para subir, *1 aumento, 6 p. vareta*, repetir de * a * y cerrar con 1 p. enano; quedan 54 p.

11ª, 12ª y 13ª hileras: tejer 3 p. cadena, 53 p. vareta y cerrar con 1 p. enano con la distribución de materiales igual a las 5ª, 6ª y 7ª hileras de la alfombra.

14ª hilera: con tiras de jersey blanco tejer 3 p. cadena para subir, 4 aumentos repartidos y cerrar con 1 p. enano, quedan 58 p.

15ª y 16ª hileras: con matizado de hilo de algodón hacer 3 p. cadena, 57 p. vareta y 1 p. enano para cerrar.

17ª hilera: con tiras de jersey blanco tejer igual a la hilera anterior.

18ª hilera: continuar con las tiras de jersey y tejer la puntilla siguiendo el diagrama. Cortar la tira y rematar.

Terminación

Colocar el tejido cubriendo el cesto.

TipS
Para el cuarto de los varones la alfombra puede ser de los colores de su equipo favorito, en el caso de las nenas, los pasteles son ideales.

Cortina con aplicaciones

El punto permite adaptarla a la medida de la ventana que vestirá. Las uvas también están tejidas y aplicadas.

Comienzo
CORTINAS

Hacer una cadena de 174 p. con aguja Nº 2 ½ y continuar según el diagrama de punto fantasía. Repetir el punto hasta tener 85 cm de largo. Cortar la hebra y rematar. Sobre el borde inferior realizar la puntilla siguiendo el diagrama. Esta cortina terminada mide 65 cm de ancho por 85 cm de largo.

UVAS Y HOJAS

Para las uvas hacer una anilla y continuar según el diagrama. Hacer 18 iguales. Tejer para las hojas una cadena de 15 p. más 1 p. para girar y seguir según el diagrama de hoja. Hacer 6 iguales.

Terminación

Realizar las presillas sobre la parte superior de la cortina, tomando 8 p. de base y tejer cada una en p. vareta por 8 hileras. Hacer 8 presillas a 6 cm de distancia una de otra.
Para los zarcillos hacer una cadena del largo deseado y tejer en p. media vareta sobre cada p. cadena.
Coser con puntadas escondidas las uvas, las hojas y los zarcillos siguiendo el esquema.

Materiales
- Algodón rústico finito: 250 g en color blanco.
- Aguja de crochet Nº 2 ½

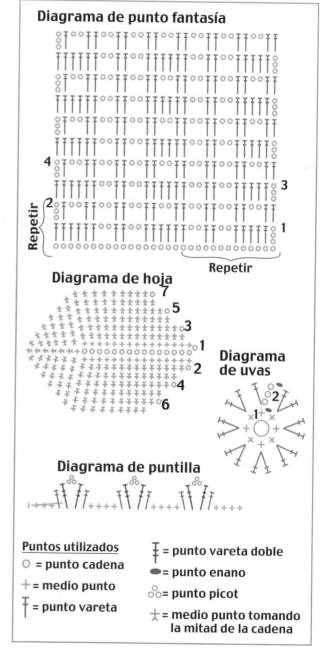

Diagrama de punto fantasía

Repetir

Repetir

Diagrama de hoja

Diagrama de uvas

Diagrama de puntilla

Puntos utilizados
- ○ = punto cadena
- + = medio punto
- ⊤ = punto vareta
- ⊤ (doble) = punto vareta doble
- ●= punto enano
- ⸰ₒ= punto picot
- ⊁ = medio punto tomando la mitad de la cadena

Clásicas y modernas

Las cartucheras, en sus dos modelos más usados, se renuevan de la mano del hilo macramé, en tonos brillantes.

Materiales

● Hilo macramé: 50 g en color azul, 40 g en color rojo, un poco de amarillo y verde ●2 cierres rojo de 20 cm ●Aguja de crochet de acero N° 1

CON CORAZONES

Comienzo

Con azul hacer una cadena de 68 p. más 3 p. cadena para subir. Tejer en punto fantasía siguiendo el diagrama hasta tener 20 cm de alto. Doblar el tejido por la mitad, quedando el comienzo y el final como borde de la abertura. Unir los extremos y tejer en los bordes de la abertura 3 hileras de medio p. Cortar la hebra y rematar.

Para los corazones tejer con rojo una cadena de 11 p. más 3 p. para subir y continuar según el diagrama. Hacer 3 corazones.

Terminación

Coser el cierre en el borde abierto y aplicar los corazones.

TUBO

Comienzo

Con rojo para los círculos de los extremos hacer una anilla, tejer 3 p. cadena para subir y 15 p. vareta alrededor de la anilla, cerrar con 1 p. enano, quedan 16 p.

2ª hilera: 3 p. cadena para subir, 2 p. vareta en cada p. vareta de la vuelta anterior y cerrar con 1 p. enano; quedan 32 p.

3ª hilera: 3 p. cadena para subir, *1 aumento (2 p. vareta en 1 p. de la vuelta anterior), 1 p. vareta*, repetir de * a * y cerrar con 1 p. enano, quedan 48 p.

4ª hilera: 3 p. cadena para subir, *1 aumento, 2 p. vareta*, repetir de * a * y cerrar con 1 p. enano, quedan 64 p.

5ª hilera: 3 p. cadena para subir, *1 aumento, 3 p. vare-ta*, repetir de * a * y cerrar con 1 p. enano, quedan 80 p.

6ª hilera: 3 p. cadena para subir, *1 aumento, 4 p. vareta*, repetir de * a * y cerrar con 1 p. enano; quedan 96 p. Cortar la hebra y rematar. Hacer otro círculo igual. Para la parte rayada tejer con azul una cadena de 90 p. más 3 puntos para subir y continuar en punto vareta alternando los colores de la siguiente manera: 3 hileras con azul, 1 hilera con amarillo, 2 hileras con verde, 1 hilera con rojo, 2 hileras con amarillo, 2 hileras con rojo y 1 hilera con verde. Repetir esta secuencia 2 veces más. Cortar la hebra y rematar.

Terminación

Unir un círculo con la parte rayada con medio p. tomando cada punto de ambas partes, dejando 1 p. de separación entre los bordes para coser el cierre y terminar con 1 hilera de punto cangrejo. Cortar la hebra y rematar. Unir el otro círculo al otro extremo de la parte rayada de la misma forma que el anterior. Cortar la hebra y rematar.

A los lados de la parte rayada tejer con rojo 2 hileras de medio p. que formarán la abertura. Aplicar el cierre.

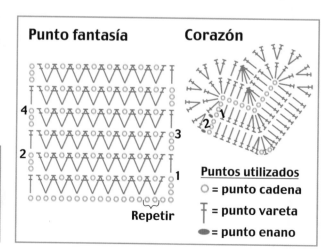

Punto fantasía

Corazón

Puntos utilizados
○ = punto cadena
┬ = punto vareta
● = punto enano

Repetir

Para hombres

Las pantuflas de lana son supercómodas y abrigadas. Se pueden hacer en diversos tamaños, para todas las edades.

SUELA
Comienzo
Con 2 hebras de color gris tejer una cadena de 22 p. más 2 p. cadena para subir y continuar según el diagrama de suela. Cortar la hebra y rematar. Hacer 2 suelas iguales.

CAPELLADA
Comienzo
Con 2 hebras de color gris hacer una cadena de 11 p. más 2 p. para subir y continuar según el diagrama de la misma.

Para los costados con 2 hebras de azul hacer 1 vuelta de medio p., partiendo desde el centro del talón, levantando los puntos de la suela por debajo de la cadena del borde, es decir, tomando el cuerpo del medio p., introduciendo la aguja de derecha a izquierda, cerrar con 1 p. enano, quedan 84 p.

1ª hilera: 21 p. media vareta, * 2 p. media vareta que cierran juntos (1 disminución), 8 p. media vareta*, repetir de * a * 3 veces más y terminar con 1 disminución, 21 p. media vareta y 1 p. enano.

2ª hilera: 25 p. media vareta, * 1 disminución, 7 p. media vareta*, repetir de * a * 3 veces más y terminar con 1 disminución, 25 p. media vareta y 1 p. enano.

3ª hilera: 2 p. media vareta, 1 disminución, 16 p. media vareta, * 1 disminución, 6 p. media vareta*, repetir de * a * 3 veces más y terminar con 1 disminución, 17 p. media vareta, 1 disminución, 2 p. media vareta y 1 p. enano.

4ª hilera: 2 p. media vareta, 1 disminución, 14 p. media vareta, 4 medio p., * 1 disminución, 5 p. media vareta*, repetir de * a * 3 veces más y terminar con 1 disminución, 4 medio p., 15 p. media vareta, 1 disminución, 2 p. media vareta y 1 p. enano. Cortar la hebra y rematar.

Terminación
Hacer con 2 hebras de gris 1 hilera de medio p. en el borde recto de la capellada. Partiendo del centro del talón, tejer con gris 23 p. media vareta, luego unir la capellada con el costado con medio p. tomando punto por punto (34 p.) y terminar con 23 p. media vareta. Cortar la hebra y rematar. Hacer la otra igual.

Materiales
- Lana semigorda (50 % lana – 50 % acrílico): 100 g en color azul 100 g en color gris
- Aguja de crochet Nº 5

suela

Centro talón

Puntos utilizados
- ○ = **punto cadena**
- + = **medio punto**
- ⊤ = **punto media vareta**
- ● = **punto enano**

capellada

Tips
Si se varían el tamaño y los colores, estas pantuflas pueden combinarse con los pijameros de la página 46.

Camisón y pantuflas

El canesú
se tejió con
la misma fibra
amarilla
empleada para
las pantuflas,
con cara
de ratón
y colita negra
en el talón.

Materiales

- Acrílico de verano:
160 g en color amarillo,
un poco de negro, gris
y rojo • 6 botones al tono
- 2 pares de ojos de plásticos
- 70 cm de género
estampado
- Aguja de crochet N° 2 ½

Talle
4 AÑOS

CAMISÓN
Comienzo

Se tejen las 2 partes iguales.
Con 2 hebras de amarillo
hacer una cadena de 71 p.
más 3 p. para subir y tejer
según el diagrama de punto
fantasía. Para las sisas des-
lizarse con 7 p. raso al empezar la 5ª hilera, hacer 3 p.
cadena, continuar con el p.
fantasía y 7 p. antes de finalizar la hilera subir con 3 p.
cadena para la hilera si-
guiente. Al tener 7 cm de alto de sisas dejar los 36 p.
centrales para el escote y
seguir con los 11 p. de cada
lado para los breteles. Tejer
en p. vareta por 6 cm de alto
cada bretel. Cortar la hebra
y rematar.

Terminación

Coser los hombros y tejer
en todo el contorno de las
sisas y el cuello 1 hilera de
medio p. En la parte delantera, hacer 3 presillas en
los 4 cm de cada lado para
formar los ojales. Coser los
botones en la espalda.
Cortar 2 rectángulos de género y unirlos dejando al final de cada costura una
abertura de aproximada-

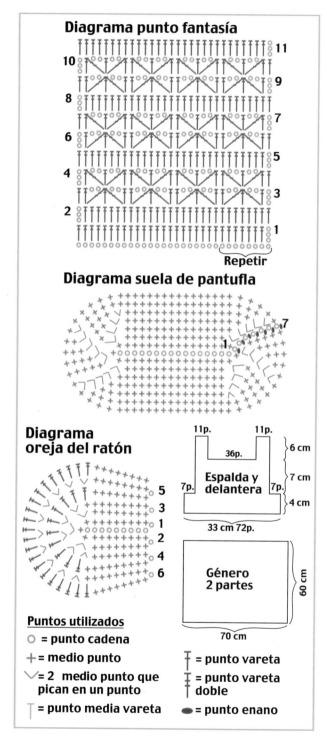

Diagrama punto fantasía

Diagrama suela de pantufla

Diagrama oreja del ratón

11p.   11p.

36p.

Espalda y
delantera

7p.   7p.

6 cm

7 cm

4 cm

33 cm 72p.

Género
2 partes

70 cm

60 cm

Puntos utilizados

○ = punto cadena

+ = medio punto

∨ = 2 medio punto que pican en un punto

T = punto media vareta

T = punto vareta

T = punto vareta doble

⬤ = punto enano

---

mente 10 cm. Fruncir cada parte y coser el canesú. Hacer el dobladillo.

PANTUFLAS
Comienzo

Para la suela con amarillo hacer una cadena de 16 p. más 1 p. para girar y continuar según el diagrama de suela. Al terminar la 7ª hilera quedan 62 p; cortar la hebra y rematar. Levantar los puntos del borde de la suela tomándolos por debajo de la cadena del borde, es decir, por el cuerpo, introduciendo la aguja de derecha a izquierda, quedan 62 p. Tejer en medio p. en vueltas cerradas con 1 p. enano por 4 hileras. A continuación disminuir de la siguiente manera:

5ª hilera: 24 medio punto, 2 medio p. que cierran juntos (1 disminución), 9 medio p., 1 disminución y 25 medio p.; quedan 60 p.

6ª hilera: 23 medio p., 1 disminución, 9 medio p., 1 disminución y 24 medio p.; quedan 58 p.

7ª hilera: 22 medio p., 1 disminución, 9 medio p., 1 disminución y 23 medio p.; quedan 56 p.

8ª hilera: 21 medio p., 1 disminución, 9 medio p., 1 disminución y 22 medio p.; quedan 54 p.

9ª hilera: 20 medio p., 1 disminución, 9 medio p., 1 disminución y 21 medio p.; quedan 52 p.

10ª hilera: Tejer 25 medio p., 3 medio p. que cierran juntos (1 disminución doble), 24 medio p.; quedan 50 p.

11ª hilera: 24 medio p., 1 disminución doble, 23 medio p.; quedan 48 p.

12ª hilera: 23 medio punto, 1 disminución doble, 22 medio p.; quedan 46 p.

13ª hilera: 22 medio p., 1 disminución doble, 21 medio p.; quedan 44 p.

14ª hilera: 21 medio p., 1 disminución doble, 20 medio p.; quedan 42 p.

15ª hilera: 20 medio p., 1 disminución doble, 19 medio p.; quedan 40 p.

16ª hilera: 19 medio punto, 1 disminución doble, 18 medio p.; quedan 38 p. Cortar la hebra y rematar. Para las orejas hacer con amarillo una cadena de 9 p. más 1 p. para girar y continuar según el diagrama de la oreja hasta finalizar la 6ª hilera. Cambiar a color gris y tejer en medio p. 1 hilera, cortar la hebra y rematar. Hacer 4 orejas iguales.

Terminación

Bordar con negro los bigotes y el hocico en el frente de las pantuflas. Pegar los ojos y bordar con rojo la boca. Para la cola hacer con negro una cadena de 9 p. más 1 p. para girar, tejer 1 medio p. en cada p. de base y unirla en la base del talón. Plegar el borde inferior de cada oreja y ubicarlas a cada lado de la cara.

Bolsón de pañales

Realizado
en tonos pastel,
permite albergar
una bolsa
de pañales
completa y
ubicar en los
bolsillos
laterales
el resto de
los accesorios.

Con 2 hebras de blanco hacer una cadena de 4 p. y tejer 12 en p. vareta en vueltas cerradas con 1 p. enano. En la 2º hilera duplicar la cantidad de puntos y luego continuar aumentando hasta obtener un círculo de 25 cm de diámetro quedan 139 p. A partir de allí, tejer con 2 hebras en celeste sin aumentos 3 p. cadena para subir y 1 p. vareta por cada p. de la hilera anterior. Al tener 25 cm de alto tejer el pasa-cintas y el borde en p. fantasía siguiendo el diagrama de terminación.
Cortar la hebra y rematar. Para la tira de los bolsillos con 2 hebras rosa hacer una cadena de 139 p. y cerrar con 1 p. enano. Tejer el punto fantasía en vueltas cerradas, alternando los colores según el diagrama.
Al tener 13 cm de alto y 15 hileras, cortar la hebra y rematar.
Coser la tira que forma el bolsillero a la última hilera de la base blanca. Unir a la parte celeste con costuras verticales aproximadamente a 18 cm de distancia una de otra. Hacer con blanco una cadena de 1,80 m de largo para formar el cordón y pasarlo por el pasacintas.

Materiales
- Algodón rústico finito puesto doble:
  170 g en color celeste,
  120 g en color blanco,
  30 g en color rosa y
  30 g en color verde
- Aguja de crochet Nº 3

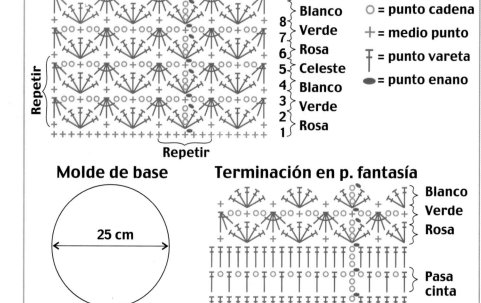

Diagrama punto fantasía

Repetir

8 } Celeste
  } Blanco
7 } Verde
6 } Rosa
5 } Celeste
4 } Blanco
3 } Verde
2 } Rosa
1 }

Repetir

Puntos utilizados
- ○ = punto cadena
- + = medio punto
- ⊤ = punto vareta
- ● = punto enano

Molde de base

25 cm

Terminación en p. fantasía

Blanco
Verde
Rosa

Pasa cinta

Mariposas decorativas

Individuales, superpuestas o combinadas, las aplicaciones se adaptan a todo tipo de accesorio y vestimenta.

VIOLETA
Realización

Con violeta hacer una anilla y continuar según el diagrama 1, cambiando a color rojo en la 3ª hilera. Cortar la hebra y rematar.

Terminación

Con rojo realizar el cuerpo y las antenas siguiendo el diagrama. El tamaño del cuerpo varía según el modelo. Doblar el tejido por la mitad y coser el cuerpo sobre ella.

TURQUESA Y VERDE
Realización

Con turquesa tejer 6 p. cadena y cerrar formando una ani-lla con 1 p. enano. Para la ala tejer según el diagrama 2 hasta la 3ª hilera y cortar la hebra. Retomar desde el anillo para hacer la otra ala siguiendo el diagrama hasta la 6ª hilera. Cambiar a verde y bordear en medio p. el contorno.

Terminación

Con verde realizar el cuerpo y las antenas siguiendo el diagrama.

AMARILLA Y SALMÓN
Realización

Con amarillo oro tejer 6 p. cadena y cerrar formando un anillo con 1 p. enano. Para formar las alas superiores tejer según el diagrama 3 parte A, hasta la 3ª hilera y cortar la hebra. Retomar desde el anillo para hacer la otra parte del ala siguiendo el diagrama hasta la 6ª hilera. Cambiar a color salmón y bordear en medio p. todo el contorno. Realizar la parte B de la misma forma que la anterior siguiendo el diagrama.

Terminación

Con salmón realizar el cuerpo y las antenas siguiendo el diagrama. Bordar la parte A como se ve en la fotografía. Coser la parte A sobre la B como indica el esquema y aplicar el cuerpo sobre ellas.

Materiales
- Hilo macramé: un poco de los siguientes colores: turquesa, verde manzana, rojo, violeta, salmón y amarillo oro
- Aguja de crochet de acero Nº 1

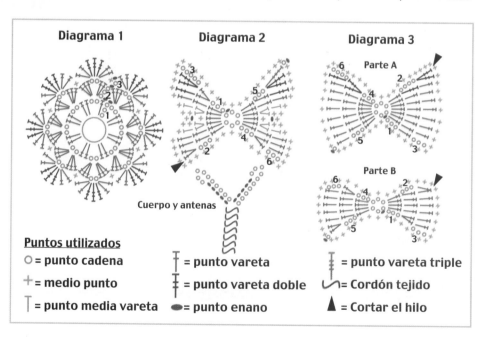

Diagrama 1

Diagrama 2

Cuerpo y antenas

Diagrama 3

Parte A

Parte B

Puntos utilizados

○ = **punto cadena**

+ = **medio punto**

⊤ = **punto media vareta**

Ŧ = **punto vareta**

‡ = **punto vareta doble**

◗ = **punto enano**

‡ = **punto vareta triple**

∿ = **Cordón tejido**

▲ = **Cortar el hilo**

Almohadones country

Con los mismos puntos y colores, dos diseños bien diferentes.

Materiales
- Lana semigorda (50% lana – 50% acrílico):360 g en color lacre, 400 g en color matizado, en verde y naranja
- Aguja de crochet Nº 5

CUADRADO
Tejer una cadena base de 60 p. con lana matizada y continuar siguiendo el diagrama de punto fantasía. Al tener 30 cm de alto cortar la hebra y rematar. Hacer otra parte igual. Unir entre sí las dos partes, rellenar y coser.

REDONDO
Hacer una anilla con lana lacre y continuar según el diagrama. Al completar la 22ª hilera cerrar con 1 p. enano, cortar la hebra y rematar. Hacer otra parte igual. Unir las 2 partes enfrentadas por el revés con 1 vuelta de medio p. Rellenar y terminar la vuelta.

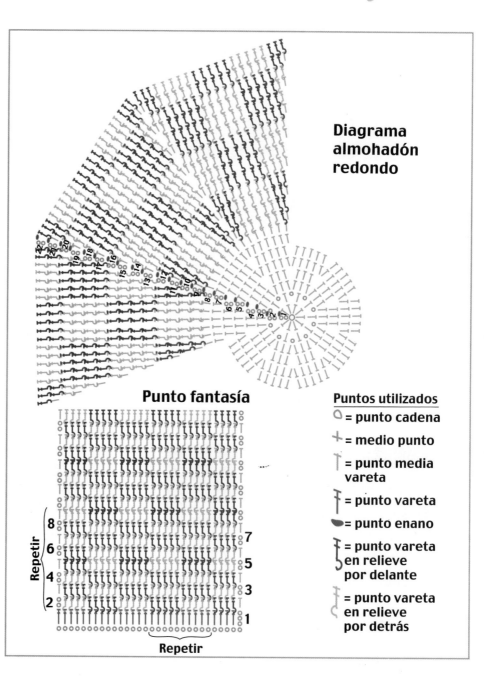

Diagrama almohadón redondo

Punto fantasía

Puntos utilizados

- ◯ = punto cadena
- + = medio punto
- ⊺ = punto media vareta
- ⊤ = punto vareta
- ➥ = punto enano
- = punto vareta en relieve por delante
- = punto vareta en relieve por detrás

Cartera y mochila multicolores

Las formas y combinaciones de colores las convierten en modelos únicos, para mujeres de avanzada.

Materiales cartera geométrica

- Lana de grosor mediano (80 % lana – 20 % acrílico): 80 g en color rojo, 50 g en color camel y 30 g en color violeta
- 2 cierres violeta de 14 cm
- Fliselina de pegar
- Aguja de crochet N° 4

CARTERA GEOMÉTRICA
Comienzo

Al cambiar de color, cuando se está tejiendo un diagrama, se termina cada punto con la lana del color si-guiente y el color que no se está utilizando, se traslada por dentro del punto que se está tejiendo. Con color camel hacer una anilla, 2 p. cadena para subir y continuar de la siguiente manera:

1ª hilera: *1 p. media vareta camel, 1 p. media vareta rojo*, repetir de * a * y terminar con 1 p. enano.

2ª hilera: tejer 2 p. media vareta en cada punto de la vuelta anterior y en el mismo color. Cerrar con 1 p. enano.

3ª hilera: tejer 2 p. media vareta en cada punto de la vuelta anterior y en el mismo color (quedan 4 p. de cada color). Cerrar con 1 p. enano.

4ª a 7ª hileras: tejer 2 p. media vareta en el 1° y último de los puntos de cada

Diagrama

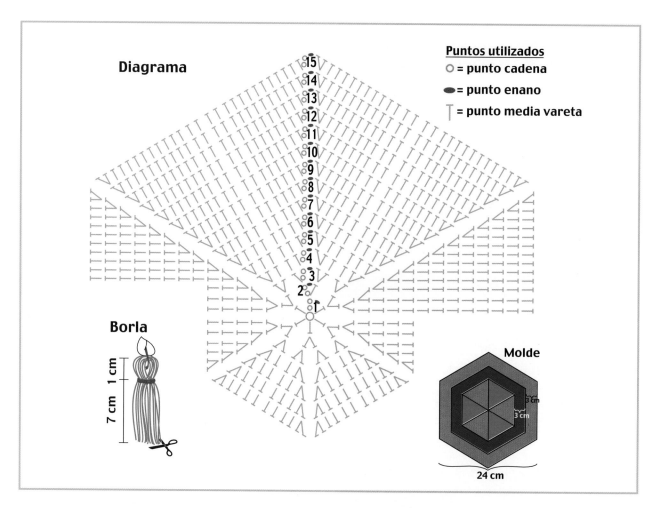

Puntos utilizados

○ = punto cadena

━ = punto enano

⊤ = punto media vareta

Borla

7 cm   1 cm

Molde

3 cm

3 cm

24 cm

color y 1 p. media vareta en cada uno de los p. centrales. Cerrar con 1 p. enano. Continuar tejiendo con violeta por 4 hileras más aumentando según el diagrama. De la 12ª hilera a la 15ª hilera tejer con camel. Cortar la hebra y rematar. Hacer otra parte igual.

Terminación

Bordar con rojo las partes como muestra la fotografía.

Colocar la fliselina en las 2 partes por el revés.Hacer un cordón tejido con rojo de 1,30 m de largo y coserlo uniendo las partes en forma de fuelle, comenzando por el vértice inferior, quedan 2 lados abiertos.
Realizar una borla como muestra el dibujo y coserla en la unión de los extremos del cordón. Coser los cierres enfrentados en los 2 lados superiores.

Materiales mochila

● Lana semigorda
(50 % lana – 50 % acrílico):
80 g en color fucsia,
50 g en color turquesa,
40 g en color amarillo,
40 g en color verde,
40 g en color violeta matizado
● Aguja de crochet Nº 4

MOCHILA HIPPIE
Comienzo

Con color fucsia tejer una cadena de 37 p. más 3 p. cadena para subir y continuar según el diagrama del punto fantasía.
Distribuir los colores como indica el diagrama y repetir una vez más. Finalizada la 22ª hilera continuar con fucsia y tejer según el diagrama de terminación, que en la última hilera es pasacinta.

Diagrama de terminación

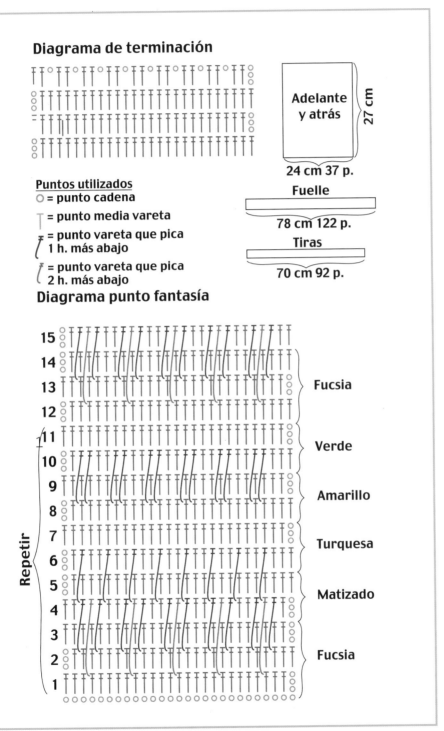

Puntos utilizados

○ = punto cadena

Τ = punto media vareta

Ŧ = punto vareta que pica
1 h. más abajo

Ŧ = punto vareta que pica
2 h. más abajo

Diagrama punto fantasía

Repetir

15
14
13 Fucsia
12
11
10 Verde
9
8 Amarillo
7
6 Turquesa
5
4 Matizado
3
2 Fucsia
1

Adelante y atrás

27 cm

24 cm 37 p.

Fuelle

78 cm 122 p.

Tiras

70 cm 92 p.

Cortar la hebra y rematar. Hacer otra parte igual. Para el fuelle hacer con fucsia una cadena de 121 p. más 2 p. para subir y tejer en p. media vareta por 3 hileras. Cortar la hebra y rematar.

Terminación

Coser el fuelle uniendo las 2 partes a la cartera, dejando la parte superior de la mochila abierta.

Con fucsia hacer un cordón y pasarlo por el pasacinta. Para las tiras turquesa hacer una cadena de 91 p. más 2 p. para subir y tejer en p. media vareta por 3 hileras. Cortar la hebra y rematar. Hacer otra igual. Aplicar las 2 tiras juntas en el borde superior de la parte de atrás y los otros extremos en cada punta de la parte inferior.

Dúo de agarraderas

Ideales para
principiantes,
se hacen con
el círculo básico
de crochet.
La diferencia
está en
el diseño
y la terminación.

GALLO

Con 2 hebras de negro hacer una cadena de 10 p. y cerrar con 1 p. enano formando un anillo. Tejer una vuelta de 12 medio p. y seguir en vueltas cerradas con 1 p. enano. En la 2ª hilera duplicar la cantidad de puntos y luego continuar aumentando hasta obtener un círculo acampanado de 22 cm de diámetro; quedan 144 p. Cortar la hebra y rematar. Para la cresta doblar por la mitad el tejido, en un extremo tejer con rojo, según el diagrama uniendo las 2 partes; hacer el pico y las patas con amarillo siguiendo los diagramas. Bordar con blanco el ojo. Con negro hacer flecos y colocarlos con ayuda de una aguja, tomando las 2 partes juntas en el extremo opuesto a la cara para formar la cola. Para hacer el aro central, tejer con negro un arco de 5 p. cadena y luego cubrirlo con 10 medio p. Cortar la hebra y rematar.

GALLINA

Con blanco hacer una cadena de 10 p. y cerrar formando un anillo. Tejer una vuelta de 12 medio p. y seguir en vueltas cerradas con 1 p. enano. En la 2ª hilera duplicar la cantidad de puntos y luego continuar aumentando hasta obtener un círculo acampanado de 20 cm de diámetro, quedan 134 p. Cortar la hebra y rematar.

Doblar por la mitad el tejido. En un extremo tejer con rojo la cresta según el diagrama tomando las 2 partes juntas, hacer el pico y las patas con naranja siguiendo los correspondientes diagramas. Bordar con negro el ojo. Con blanco hacer flecos en el extremo opuesto a la cara para formar la cola tomando las 2 partes juntas. Para hacer el aro central, tejer con blanco un arco de 4 p. cadena y luego cubrirlo con 8 medio p. Cortar la hebra y rematar.

Materiales
- Algodón rústico semigordo: 80 g en color blanco
- Algodón rústico finito: 80 g en color negro, un poco de naranja, rojo y amarillo
- Aguja de crochet Nº 3

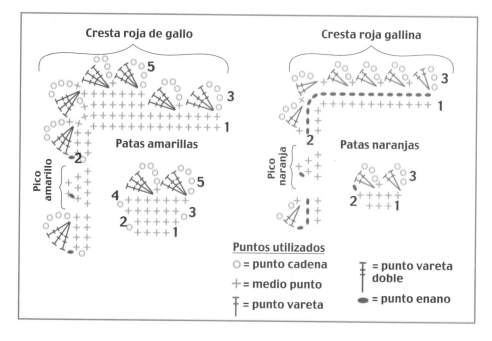

Cresta roja de gallo

Cresta roja gallina

Patas amarillas

Patas naranjas

Pico amarillo

Pico naranja

Puntos utilizados

○ = punto cadena

+ = medio punto

T = punto vareta

⊤ = punto vareta doble

• = punto enano

Accesorios

Dos versiones para modelos similares, una veraniega tejida con hilo de macramé y otra más abrigada, hecha en lana esfumada.

SALMÓN
Comienzo

Con hilo macramé puesto doble y aguja de acero N° 00 hacer una cadena de 28 p. más 3 p. cadena para subir. Tejer en punto fantasía siguiendo el diagrama y al tener 60 cm de alto aproximadamente, realizar en cada extremo las dismi-nuciones según el diagrama de terminación. En uno de los extremos continuar te-jiendo 5 hileras en p. vareta. Cortar la hebra y rematar.

Terminación

Coser la argolla en el extre-mo de las 5 hileras en p.

vareta envolviéndola. En el otro extremo hacer 4 tiras con p. cadena de 50 cm de largo cada una.

MATIZADA
Comienzo

Con lana matizada y aguja N° 3 $\frac{1}{2}$, tejer 14 p. cadena más 3 p. para subir y conti-nuar en p. vareta siguiendo el diagrama de punto fanta-sía. Al tener 70 cm de largo, finalizar con 1 hilera de p. vareta. Cortar la hebra y re-matar.

Terminación

Realizar con lana bordó 2 cordones en p. cadena de

1,50 m aproximadamente de largo y pasarlos por la faja, formando cruces, co-mo se ve en la fotografía.

Materiales

- Hilo macramé: 100 g en color salmón.
- Lana semigorda: (50% lana – 50 % acrílico). 80 g matizada y 30 g en color bordó
- 1 argolla de madera de 6 cm de diámetro
- Aguja de crochet N° 3 $\frac{1}{2}$ y de acero N° 00

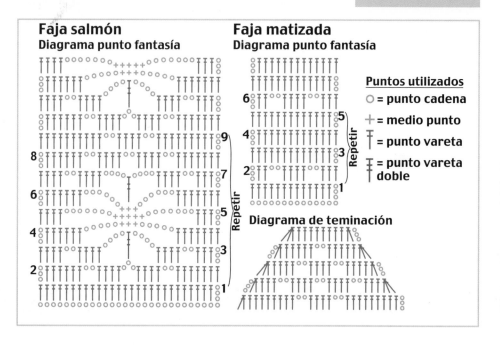

Faja salmón
Diagrama punto fantasía

Faja matizada
Diagrama punto fantasía

Puntos utilizados
- ○ = punto cadena
- + = medio punto
- ┬ = punto vareta
- ┬ = punto vareta doble

Diagrama de teminación

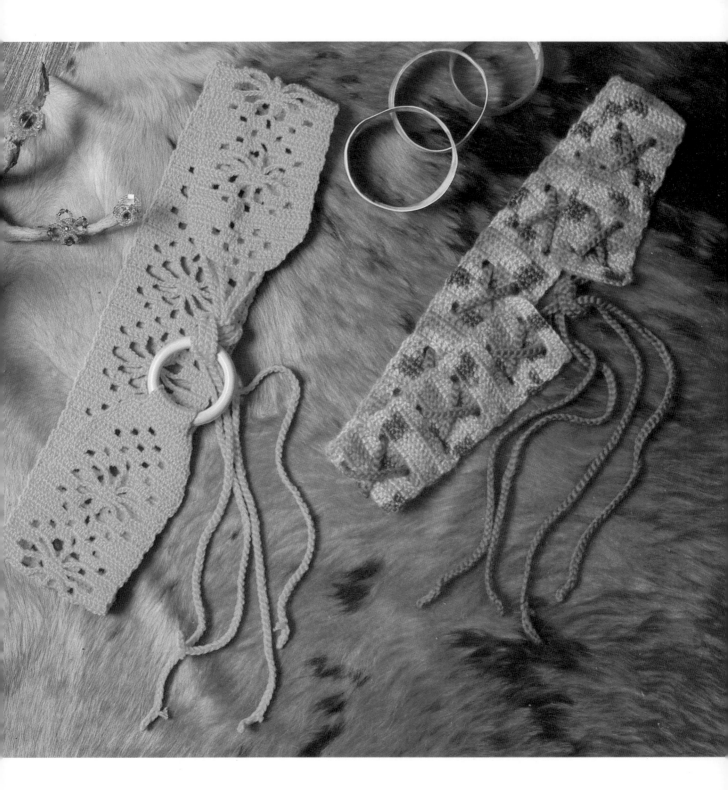

Toalla con aplicación

Se usó
un punto
en realce,
para dar
volumen.
Primero
se tejieron
todas las
partes
y luego
se cosieron
a la toalla.

Materiales
- Algodón rústico semigordo:
30 g en color verde
- Un poco de hilado
con lurex dorado
- 1 toalla roja
- Aguja de crochet
de acero Nº 000 y Nº 0

ÁRBOL
Comienzo
Con algodón rústico semi-gordo y aguja de acero Nº 000 tejer 34 p. cadena, más 3 p. para subir.
Continuar según el diagrama y al llegar a la 4ª hilera, picar los puntos vareta donde indican las flechas. Terminada la 19ª hilera, tejer alrededor de todo el árbol 1 hilera en medio p. Cortar la hebra y rematar.

ESTRELLA Y TRONCO
Con hilo de lurex y aguja Nº 0, hacer una anilla y tejer según el diagrama de la estrella. Cortar la hebra y rematar.

Para el tronco hacer 8 p. cadena y continuar según el diagrama del mismo.

Terminación
Coser las partes sobre la toalla con puntadas invisibles. Para los adornos hacer con lurex y aguja Nº 0 una anilla, 1 p. cadena, 8 medio p. alrededor y cerrar en círculo con 1 p. enano. Cortar la hebra y rematar. Hacer 7 iguales y aplicarlos al árbol.

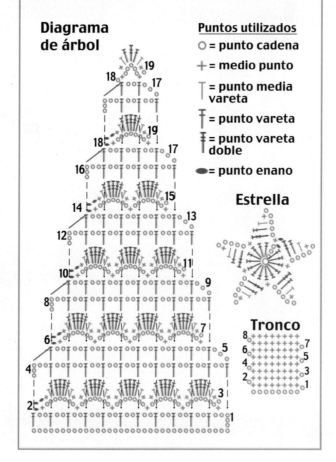

Diagrama de árbol

Puntos utilizados
- O = punto cadena
- + = medio punto
- T = punto media vareta
- ₸ = punto vareta
- ₸ = punto vareta doble
- ➤ = punto enano

Estrella

Tronco

Perchas animadas

Las siempre útiles perchas se convierten en un objeto decorativo para el dormitorio de los chicos.

Materiales

- Algodón rústico finito: 80 g en color verde y 100 g en color gris topo, un poco de blanco, gris perla y negro
- 10 cm de cinta escocesa
- 12 cm de cinta gros de 2,5 cm de ancho
- 2 perchas plásticas de 35 cm de largo
- Un poco de vellón para relleno y pañolenci blanco, negro, rojo y celeste
- Aguja de crochet Nº 2 $\frac{1}{2}$ y Nº 3

RANA
Comienzo

Con ag. Nº 3 y 2 hebras de color verde hacer el cuerpo. Tejer una cadena de 11 p. y continuar según el diagrama de aumentos. Realizar 1 aumento de cada lado cada 2 hileras, 10 veces; quedan 31 p. Al finalizar la 20ª hilera tejer 4 hileras recto, sin aumentar. Luego hacer 1 disminución (2 p. media vareta que cierran juntas) cada 2 hileras 10 veces, quedan 11 p. Al finalizar la 44ª hilera cortar la hebra y rematar. Para la cabeza con aguja Nº 2 $\frac{1}{2}$ con verde simple tejer 3 p. cadena y cerrar formando un anillo con 1 p. enano. Continuar según el diagrama de la cara y al finalizar la 3ª hilera cortar la hebra y rematar.

Con verde simple y ag. Nº 2 $\frac{1}{2}$ hacer las patas delanteras, tejer 8 p. cadena y 1 p. enano para unir en círculo. Luego tejer en medio p. en forma tubular, es decir, en círculo uniendo cada hilera con 1 p. enano, subiendo en cada hilera con 1 p. cadena. Al tener 9 cm de alto aplanar el tejido y hacer los dedos siguiendo el diagrama de ellos; tomando las

2 partes del tejido, cortar la hebra y rematar. Hacer otra igual.

Para las patas traseras se comienza con el algodón simple, tejer 15 p. cadena y cerrar en círculo con 1 p. enano. Continuar tejiendo en forma tubular con medio p. por 3 hileras rectas. Luego comenzar a disminuir de la siguiente manera:

4ª hilera: * 3 medio p., 1 disminución (2 medios p. que cierran juntos) *, repetir de * a *; quedan 12 p.

5ª hilera: 4 medio p., 1 disminución, 4 medio p., 1 disminución; quedan 10 p.

6ª hilera: 10 medio p.

7ª hilera: 3 medio p., 1 disminución, 3 medio p., 1 disminución; quedan 8 p.

Continuar con 8 medio p. y al tener 10 cm de alto total, tejer los dedos de igual forma que las patas delanteras.

Cortar la hebra y rematar. Hacer otra igual.

Terminación

Cubrir la percha con el cuerpo y coser el lado superior, dejando una abertura para el gancho de la percha.

Para la base de los ojos, con verde simple tejer 3 p. cadena y unir en forma de círculo con 1 p. enano. Continuar según el diagrama de ojo. Hacer 2 iguales.

El iris del ojo se realiza con negro simple y ag. Nº 2 $\frac{1}{2}$, hacer una anilla, tejer 8 medio p. alrededor de ella y cerrar con 1 p. enano.

2ª hilera: con blanco simple, tejer 1 p. cadena para subir, 2 medio p. en cada medio p.

de la hilera anterior, quedan 16 p. Hacer 2 iguales. Coser el iris del ojo a la base y aplicar la cara. Bordar la boca con negro. Pegar las patas traseras en cada extremo de la percha y doblar por la mitad hacia abajo, los dedos quedan en el borde inferior.

Coser la cara en el centro del lado superior del cuerpo re-llenando con un poco de ve-llón. Unir las patas delanteras desde cada lado de la cara hacia abajo; los dedos quedan en el borde inferior. Con la cinta escocesa hacer un moño y coserlo debajo de la cara.

GATO
Comienzo

Hacer el cuerpo con 2 hebras de gris topo, de igual forma que el de la rana.

Para la cabeza con gris perla simple tejer una cadena de 6 p. más 2 p. para subir y seguir de la siguiente manera:

1ª hilera: 6 p. media vareta, quedan 7p.

2ª hilera: 2 p. cadena y 1 p. media vareta en el mismo punto de la vuelta anterior (1 aumento), 5 p. media vareta y 2 p. media vareta en 1 p. de la vuelta anterior (1 aumento), quedan 9p.

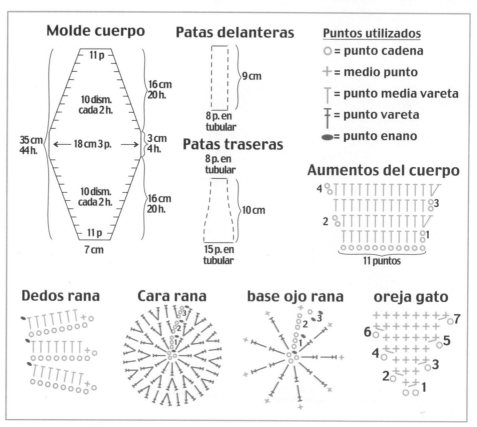

TipS

Los animales son un valor seguro a la hora de realizar objetos para los chicos. Es primordial lograr que las caritas sean graciosas.

3ª a 8ª hileras: continuar aumentando los puntos en los extremos de igual modo que la hilera anterior, quedan 21 p.

9ª hilera: 2 p. cadena, 20 p. media vareta.

10ª hilera: 1 aumento, 19 p. media vareta, 1 aumento; quedan 23p.

11ª hilera: 2 p. cadena, 22 p. media vareta.

12ª hilera: 1 aumento, 21 p. media vareta, 1 aumento, quedan 25 p.

13ª a 22ª hileras: 2 p. cadena, 24 p. media vareta.

23ª hilera: 2 p. cadena, 2 p. media vareta que cierran juntos (1 disminución), 20 p. media vareta, 2 p. media vareta que cierran juntos (1 disminución); quedan 23 p.

24ª hilera: 2 p. cadena, 22 p. media vareta.

25ª hilera: 2 p. cadena, 1 disminución; 18 p. media vareta, 1 disminución, quedan 21 p.

26ª hilera: 2 p. cadena, 20 p. media vareta.

27ª hilera: 2 p. cadena, 1 disminución, 16 p. media vareta,

1 disminución, quedan 19 p.

28ª hilera: 2 p. cadena, 1 disminución; 14 p. media vareta, 1 disminución; quedan 17 p.

29ª hilera: 2 p. cadena, 1 disminución, 12 p. media vareta, 1 disminución; quedan 15 p.

30ª hilera: 2 p. cadena, 1 disminución, 10 p. media vareta, 1 disminución; quedan 13 p.

31ª hilera: 2 p. cadena, 1 disminución, 8 p. media vareta, 1 disminución; quedan 11 p.

32ª hilera: 2 p. cadena, 1 disminución, 6 p. media vareta, 1 disminución; quedan 9 p.

33ª a 39ª hileras: 2 p. cadena, 8 p. media vareta. Cortar la hebra y rematar. Hacer otra parte igual.

Unir entre sí las 2 partes de la cara con 1 hilera de medio p., dejando una abertura para rellenar y terminar la vuelta.

Con gris topo simple tejer para la cara una cadena de 10 p. más 1 p. para girar y continuar de la siguiente forma:

1ª hilera: 10 medio p.

2ª hilera: 1 p. cadena, 2 medio p. en el mismo p. de la hilera anterior (1 aumento), 8 medio p., 2 medio p. en el mismo p. de la hilera anterior (1 aumento); quedan 12 p.

3ª a 5ª hileras: continuar aumentando los puntos en los extremos de igual modo que la hilera anterior, quedan 18 p.

6ª a 15ª hileras: 1 p. cadena, 18 medio p.

16ª hilera: 1 p. cadena, 2 medio p. que cierran juntos (1 dismi-nución), 14 medio

p., 2 medio p. que cierran juntos (1 dismi-nución); quedan 16 p.

17ª hilera: 1 p. cadena, 1 disminución, 12 medio p., 1 disminución; quedan 14 p.

18ª hilera: 1 p. cadena, 1 disminución, 10 medio p., 1 disminución; quedan 12 p.

19ª hilera: 1 p. cadena, 1 disminución, 8 medio p., 1 disminución; quedan 10 p.

20ª hilera: 1 p. cadena, 1 disminución, 6 medio p., 1 disminución; quedan 8 p. Cortar la hebra y rematar.

Para las mejillas tejer con gris topo simple una cadena de 3 p. y cerrar formando un anillo con 1 p. enano.

1ª hilera: 1 p. cadena, 6 medio p. alrededor del anillo y cerrar con 1 p. enano.

2ª hilera: 1 p. cadena, 12 medio p. (2 medio p. en cada p. de la vuelta anterior) y cerrar con 1 p. enano.

3ª hilera: 1 p. cadena, *2 medio p. en 1 p. de la vuelta anterior (1 aumento), 1 medio p.*, repetir de * a * 5 veces más y cerrar con 1 p. enano, quedan 18 p.

4ª hilera: 1 p. cadena, *1 aumento, 2 medio p.*, repetir de * a * 5 veces más y cerrar con

1 p. enano; quedan 24 p.

5ª hilera: 1 p. cadena, 1 medio p. en cada p. de la vuelta anterior y cerrar con 1 p. enano; quedan 24 p. Cortar la hebra y rematar. Hacer otra igual.

Las orejas se tejen con gris topo simple siguiendo el diagrama. Hacer 4 iguales.

Terminación

Envolver la percha con el cuerpo de igual forma que para la rana.

Coser las mejillas a la cara, colocando un poco de vellón para rellenarlas.

Hacer con pañolenci blanco el fondo de los ojos y con celeste el iris. Pegar los ojos a la cara.

Con pañolenci negro hacer la nariz y con rojo la boca, aplicarlos a la cara.

Unir entre sí 2 orejas con 1 vuelta de medio p.

Hacer la otra igual y coserlas a la cabeza.

Coser la cara a la cabeza con puntadas escondidas.

Colocar la cinta de gros en el cuello del gato. Aplicar la cabeza sobre el centro del cuerpo de la percha.

Panera con borlas

El tejido queda firme con una técnica de endurecimiento con azúcar.

Materiales

- Algodón rústico semigordo: 80 g en color blanco
- Hilo macramé: un poco de naranja y marrón
- Aguja de crochet de acero N° 000 y N° 1

Realización

Con algodón rústico semigordo y aguja de acero N° 000 hacer una anilla. Continuar según el diagrama y al llegar a la 8ª hilera, picar los puntos donde indican las flechas. Terminada la 11ª hilera, tejer alrededor del borde 2 hileras en medio p. y 1 hilera en p. cangrejo. Cortar la hebra y rematar.

Para las manijas hacer 2 cordones tejidos de 15 cm de largo y coserlos enfrentados en el borde de la panera.

BORLAS

Con hilo macramé naranja y aguja N° 1, hacer una anilla y tejer 1 p. cadena, 8 medio p. y cerrar en redondo con 1 p. enano.

2ª hilera: 1 p. cadena, *1 medio p. y 2 medio p. en cada medio p. de la hilera anterior*, repetir de * a * y unir con 1 p. enano, quedan 12 p.

3ª a 5ª hileras: 1 p. cadena, 1 medio p. en cada medio p. de la hilera anterior. Colocar un poco de vellón o algodón para el relleno.

6ª hilera: 1 p. cadena, *1 medio p., 1 disminución (2 medio p. que cierran juntos)*, repetir de * a * y cerrar con 1 p. enano, quedan 8 p.

7ª hilera: 1 p. cadena y hacer 1 disminución en cada p. de la hilera anterior, quedan 4p.

8ª hilera: hacer 2 disminuciones y unir con 1 p. enano. Continuar con 30 p. cadena y cortar la hebra dejando 10 cm de hilo. Hacer otra igual pero en marrón y unir ambas por los p. cadena del final de cada borla. Hacer 4 de cada color y colocarlas en las manijas. Para armar usar la "Técnica de endurecimiento" (pág. 53).

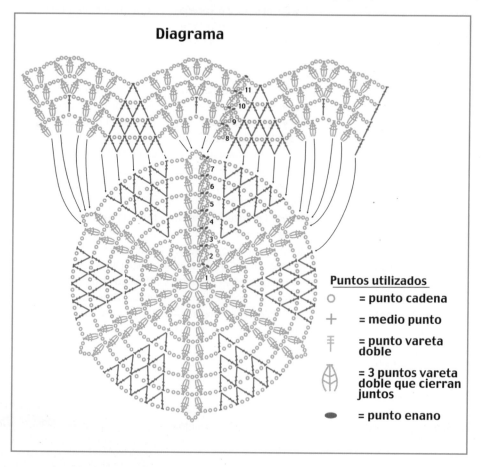

Diagrama

Puntos utilizados

- ○ = punto cadena
- + = medio punto
- ⊤ = punto vareta doble
- = 3 puntos vareta doble que cierran juntos
- ● = punto enano

Bufanda juvenil

Un modelo con reminiscencias de la década de los '60, adornado con flores tejidas también al crochet.

Comienzo

Tejer una cadena base de 29 p. con rojo y continuar siguiendo el diagrama del punto fantasía. Al tener 1,40 m de largo cortar la hebra y rematar.

FLORES

Con crudo hacer una anilla y la 1ª hilera del diagrama de la flor.

2ª y 3ª hileras: tejer con bordó, cerrar con 1 p. enano, cortar la hebra y rematar. Continuar con bordó para realizar la flor posterior, repitiendo la 2ª y la 3ª hilera picando el medio p. en la otra mitad de la cadena, correspondiente al diagrama.

Hacer 2 flores más, una con salmón y otra con rojo.

Terminación

Hacer con verde 3 cordones tejidos, de 7 cm, 5 cm y 3 cm de largo respectivamente. Unir los cordones a las flores y coser en un extremo de la bufanda.

Materiales

●Lana semigorda (50% lana – 50% acrílico): 200 g en color rojo, un poco de verde, crudo, bordó, salmón y rojo
●Aguja de crochet Nº 5

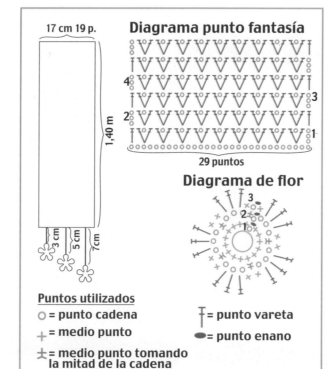

17 cm 19 p.

1,40 m

3 cm 5 cm 7cm

Diagrama punto fantasía

4

3

2

1

29 puntos

Diagrama de flor

3

2

1

Puntos utilizados

○ = **punto cadena**

+ = **medio punto**

⊥ = **medio punto tomando la mitad de la cadena**

T = **punto vareta**

● = **punto enano**

La primera comunión

Hecho íntegramente en hilo macramé blanco y amarillo, este conjunto de rosario y misal tiene la vigencia de lo tradicional.

Materiales

●Hilo macramé:
50 g en color blanco
y un poco de amarillo
●Aguja de crochet
de acero Nº 1

ROSARIO

Con blanco comenzar por la cruz, tejer en p. cadena 15 p. más 3 p. para subir y continuar según el diagrama y la orientación de las flechas. Para la parte superior de la cruz retomar con p. cadena según el diagrama y finalizar bordeando la pieza con p. enano para dar una buena terminación.

Realizar el rosario a partir de la parte superior de la cruz de la siguiente manera:

Comenzar con 7 p. cadena, 4 p. media vareta que cierran juntas (* hacer 1 lazada, introducir la aguja en 1 p. de base, enlazar la aguja y sacar 1 p.*, repetir de * a * 3 veces más, quedan 9 p. en la aguja que se cierran juntos. Esto es una cuenta). Continuar según el diagrama. Al tener las 5 cuentas terminar con 19 p. cadena. Hacer * 10 cuentas con separación de 4 p. cadena entre sí, luego 7 p. cadena, 1 cuenta, 7 p. cadena*, repetir de * a * 3 veces más. Luego otras 10 cuentas y terminar con 6 p. cadena, quedan formados así los 5 misterios. Continuar con 1 p. vareta cuádruple, 1 p. vareta triple, 1 p. vareta doble, 1 p. vareta, 1 p. media vareta, 1 medio p. y 1 p. enano, que pican en la cadena de separación de los misterios. Cortar la hebra y rematar. Ver esquema de distribución.

MISAL

Tejer una cadena de 70 p. más 3 p. para subir y continuar con 69 p. vareta.

Al tener 13 cm de altura, bordear todo el contorno con 1 hilera de medio p. y terminar con 1 hilera de p. cangrejo.

Cortar la hebra y rematar. Con amarillo retomar con medio p. sobre el interior formando las hojas y tejer por 9 hileras. Cortar la hebra y rematar. Hacer con amarillo la cruz siguiendo el diagrama de cruz del misal y coserla en el frente del misal. Cortar un rectángulo de acetato de 12 cm por 11 cm y pegar en la tapa por adentro.

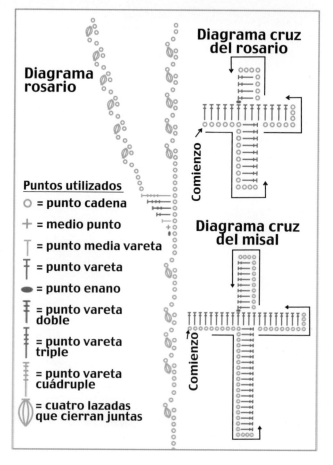

Diagrama rosario

Puntos utilizados

○ = punto cadena
+ = medio punto
┬ = punto media vareta
† = punto vareta
● = punto enano
‡ = punto vareta doble
‡ = punto vareta triple
‡ = punto vareta cuádruple
= cuatro lazadas que cierran juntas

Diagrama cruz del rosario

Comienzo

Diagrama cruz del misal

Comienzo

Doble función

Estos
almohadones
con cara de oso
y conejo tienen
un cierre
en la base,
para guardar
el "relleno",
es decir, la ropa
de cama
de los chicos.

Materiales

- Lana semigorda
(50% lana – 50% acrílico):
230 g en color beige,
230 g en color turquesa,
un poco de crudo
y negro • 2 pares de ojos
plásticos • Vellón
- 2 cierres de 40 cm
- Aguja de crochet Nº 3

CONEJO

Con turquesa hacer una cadena de 4 p. y continuar según el diagrama del comienzo para la cara, aumentando de cada lado como indica el diagrama. Al llegar a la 22ª hilera continuar aumentando de cada lado como indica el diagrama de terminación y finalizar el tejido al terminar la 27ª hilera. Cortar la hebra y rematar. Hacer otra parte igual. Para el hocico hacer una cadena de 11 p. y continuar tejiendo en vueltas cerradas según el diagrama. Comenzar las orejas con una cadena de 24 p. y seguir según el diagrama. Hacer 2 con turquesa y 2 con crudo.

Con turquesa unir los triángulos con 1 hilera de medio p. haciendo coincidir los revés por 2 de los lados, dejando abierto el borde correspondiente a la última hilera para coser el cierre.

Para cada oreja, unir una parte crudo y otra turquesa con 1 hilera de medio p. Coserlas a la cara del lado crudo hacia el frente.

Bordar el hocico con crudo y coserlo en el frente de la cara, dejando una abertura para rellenar con vellón y terminar de unir. Pegar los ojos y coser el cierre.

OSO

Con beige realizar los triángulos de igual forma que en el otro almohadón. Hacer 2 iguales.

Para el hocico hacer con beige una anilla y continuar de la siguiente manera:

1ª hilera: 1 p. cadena, 6 medio p. y cerrar con 1 p. enano.

2ª hilera: 1 p. cadena, 2 medio p. en cada medio p. de la hilera anterior y cerrar con 1 p.

enano, quedan 12 p.

3ª hilera: 1 p. cadena, * 1 medio p. y 2 medio p. en el 2ª medio p. de la hilera anterior*, repetir de * a * 6 veces; quedan 18 medio p. y cerrar con 1 p. enano.

4ª hilera: 1 p. cadena, * 1 medio p., 1 medio p. en el 2º medio p. y 2 medio p. en el 3er medio p. de la hilera anterior*, repetir de * a *; quedan 24 medio p. ce-rrar con 1 p. enano.

5ª hilera: 1 p. cadena, * 1 medio p., 1 medio p. en el 2º medio p., 1 medio p. en el 3er medio p. y 2 medio p. en el 4º medio p. de la hilera anterior*, repetir de * a *; quedan 30

medio p. Cerrar con 1 punto enano.

6ª hilera: 1 p. cadena, * 1 medio p. en cada uno de los primeros 4 medio p. y 2 medio p. en el 5º medio p. de la hilera anterior*, repetir de * a *, quedan 36 medio p. y cerrar con 1 p. enano.

7ª hilera: 1 p. cadena, * 1 medio p. en cada uno de los primeros 5 medio p. y 2 medio p. en el 6º medio p. de la hilera anterior*, repetir de * a *, quedan 42 medio p. y cerrar con 1 p. enano.

8ª hilera: 1 p. cadena, * 1 medio p. en cada uno de los primeros 6 medio p. y 2 medio p. en el 7º medio p. de la hilera

anterior*, repetir de * a *, quedan 48 medio p. y cerrar con 1 p. enano.

9ª hilera: 1 p. cadena, * 1 medio p. en cada uno de los primeros 7 medio p. y 2 medio p. en el 8º medio p. de la hilera anterior*, repetir de * a *, quedan 54 medio p. y cerrar con 1 p. enano.

Terminar con 2 hileras de 54 medio p. sin aumentos, cortar la hebra y rematar.

Para las orejas realizar de igual modo que el hocico, pero hasta la 7ª hilera inclusive, cortar la hebra y rematar. Hacer 4 iguales.

Con beige unir los triángulos de igual modo que en el conejo. Coser el cierre.

Con negro hacer la nariz de la misma forma que el hocico hasta la 2ª hilera, cortar la hebra y rematar.

Coserla en el centro del hocico y bordar la boca.

Unir con beige 2 círculos para cada oreja con 1 hilera de medio p. Coser las orejas a cada lado de la cara

Coser el hocico en el frente de la cara, dejando una abertura para rellenar y terminar de unir. Pegar los ojos.

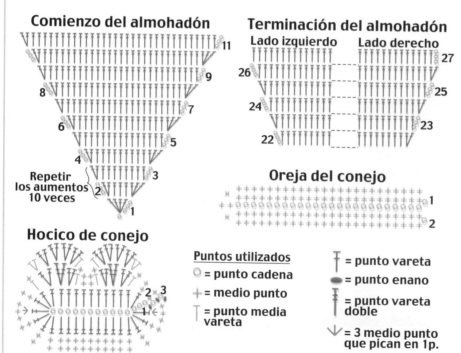

Comienzo del almohadón

11
9
8
7
6
5
4
3
2
1
Repetir los aumentos 10 veces

Hocico de conejo

2 3
1

Terminación del almohadón

Lado izquierdo   Lado derecho

27
26
25
24
23
22

Oreja del conejo

1
2

Puntos utilizados

○ = punto cadena
+ = medio punto
Ⱦ = punto media vareta
Ⱦ = punto vareta
⬤ = punto enano
Ⱦ = punto vareta doble
↓ = 3 medio punto que pican en 1p.

48

CROCHET

Esta
técnica arte-
sanal, lejos de pa-
sar de moda, está más vi-
gente que nunca, y eso la convierte
en una oportunidad inmejorable para cumplir con el sueño de la empresa propia. Las tejedoras más expertas, igual que las noveles, encontrarán en
este libro el complemento exacto para los proyectos presentados.
Está compuesto por un completo manual técnico, al que se
suman las sugerencias para encarar la venta de estos
artículos. Nuestras abuelas, que hacían del
crochet la labor por excelencia, sabían
que esta manualidad concentra
muchas virtudes. Des-
cubrámoslas
juntos.

hacer&vender

Manual de tejido a crochet

Esta técnica artesanal se puede dominar en poco tiempo, dado que los puntos son pocos y fáciles de desarrollar. Estos son los básicos, más algunos muy originales.

Cadena

1. Para comenzar, hacer un lazo alrededor de la aguja, sin ajustar. **2.** Tomar con la aguja una hebra y pasarla a través del lazo del comienzo, formando un punto. **3.** Repetir esto hasta tener la cantidad deseada de puntos.

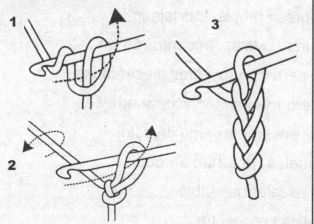

Medio punto

1. Insertar la aguja dentro de un punto cadena de base. Enlazar la hebra y sacarla hacia adelante. Quedan 2 p. en la aguja. **2.** Volver a enlazar la hebra y pasar por dentro de los 2 p. **3.** Repetir desde el comienzo.

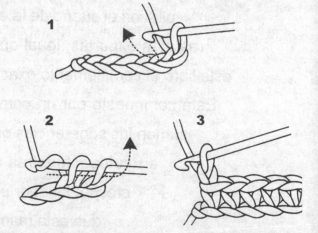

Vareta

1. Hacer una cadena base para comenzar, luego realizar una lazada sobre la aguja y pincharla en el 5º punto cadena desde la aguja. **2.** Enlazar la hecha y sacarla hacia adelante, quedan 3 p. en la aguja. **3.** Volver a enlazar la hebra y sacar 2 p. de la aguja y, por último, hacer lo mismo con los 2 p. restantes.

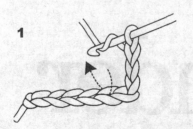
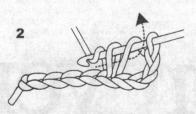
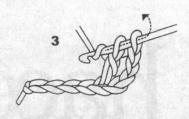

Media vareta

1. Comenzar con una cadena base y proceder igual que con la vareta, pinchando en el 4º p. cadena desde la aguja. **2 y 3.** En lugar de sacar 2 p. cada vez, sacar los 3 p. juntos.

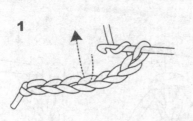 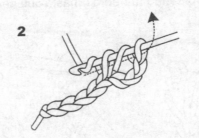 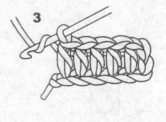

Punto vareta en relieve por delante

1. Hacer una lazada en la aguja e insertarla de derecha a izquierda y de adelante hacia atrás, tomando el cuerpo de la vareta, no la cadena. **2.** Realizar otra lazada y sacar 1p. hacia adelante. Después, proceder como en una vareta normal.

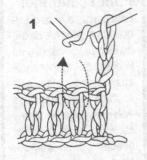 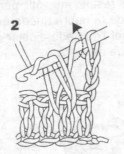

Punto vareta en relieve por detrás

1. Realizar una lazada en la aguja e insertarla de derecha a izquierda y de atrás hacia adelante, tomando el cuerpo de la vareta, no la cadena **2.** Hacer otra lazada y sacar 1p. hacia adelante. Luego, proceder del mismo modo que en una vareta normal.

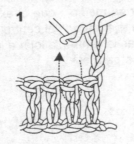 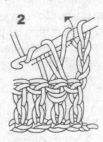

Enano

1. Insertar la aguja dentro de un punto de la hilera anterior. **2.** Hacer una lazada y sacar hacia adelante pasando por dentro del punto de la aguja.

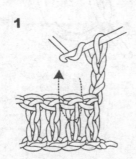 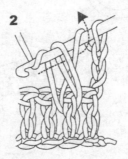

Cordón tejido

1. Comenzar con 2 p. cadena. **2 y 3.** Insertar la aguja en la 2ª cadena desde la aguja y tejer un medio punto. **4 y 5.** Introducir la aguja tomando la hebra izquierda del medio punto recién formado y volver a tejer otro medio punto. Repetir esto continuamente hasta obtener el largo deseado.

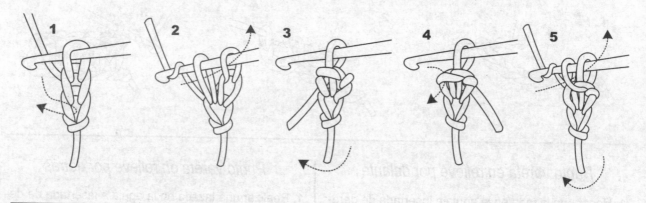

Anilla

1. Hacer una anilla con la lana, insertar la aguja dentro de ella, **2.** enlazar y sacar un punto, luego tejer en medio punto. **3.** También se puede tejer en p. vareta, haciendo, al empezar, la cantidad de cadenas necesarias para subir. Esta clase de comienzo para los tejidos circulares resulta muy útil, porque el extremo de la hebra queda en el centro y al final se puede ajustar o aflojar a la medida deseada.

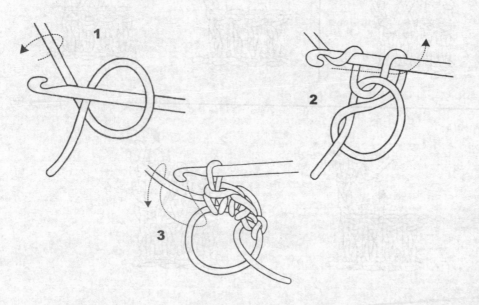

PUNTOS Y MÁS PUNTOS

Punto cangrejo:

Este punto se hace de izquierda a derecha, dejando siempre el gancho de la aguja de crochet hacia abajo. Insertar la aguja en el último punto de la hilera anterior, tomar la lana y sacar 1p. hacia adelante, quedan 2 p. en la aguja. Hacer una lazada y sacar los 2 p. juntos. Volver al comienzo. Este punto se usa como terminación de tejido.

Punto picot:

La forma más común de hacer un picot es tejer 3 p. cadena y luego 1 p. enano en el mismo p. de base.

LA MUESTRA

Sin lugar a dudas, es la parte menos agradable de todo el proceso. Pero es imprescindible, porque es una de las claves para obtener los resultados esperados. Aunque uno esté ansioso por empezar a tejer, siempre hay que efectuar la muestra del punto elegido: será la referencia para hacer los cálculos de la prenda a tejer. Casos como el de la cortina de la página 10 dan cuenta de su importancia. Además, es importante conservar la muestra sin deshacer, para probar cómo responde a la plancha y no arriesgarse a hacerlo directamente en la prenda.

● La muestra debe hacerse con el punto y la aguja indicados. Si no coincide, hay que variar el número de aguja.

● Conviene que tenga unos 10 a 15 cm de lado.

● Para medirla, apoyarla en una superficie plana.

● Debe usarse exactamente el material solicitado. Hay un margen de diferencia de grosor según la marca.

LA ELECCIÓN DEL HILADO

Es fundamental elegir una lana adecuada al modelo que se desea realizar. Si se siguen las instrucciones dadas en cada proyecto de este libro, es necesario respetar siempre lo que se indique. Si el modelo es idea propia, por lógica se deberá elegir el más conveniente. En cualquiera de los casos en los que se tengan distintas opciones de grosor, es preferible elegir el más fino y usarlo en tantas hebras como sea necesario y no comprar directamente el material gordo. Así se obtendrán mejores tejidos.

● *Cashmilon o fibra.* Es ideal para ropa de bebé y chicos. Es de fácil lavado y no se debe planchar.

● *Mezclar con fibra.* No se debe utilizar en modelos y puntos que luego requieran planchado húmedo.

● *Merino.* Es una lana noble, porque se puede planchar con humedad y no hace bolitas. Es ideal para tejer crochet.

BOTONES

Los botones de las prendas tejidas deben ser sumamente livianos y de bordes lisos, para no enganchar la lana al abrocharlos.

REUTILIZACIÓN DE LOS HILADOS

Cuando alguna prenda pasa de moda, es posible destejerla y aprovechar la lana, siempre que no tenga demasiado pelo o que no contenga acrílico. A medida que se desteje, hacer madejas, envolviendo la lana alrededor de una bandejita de telgopor. Una vez terminado el trabajo, atar con un trozo de lana los dos extremos de la madeja, para que no se desarme. Retirar la bandeja, lavar, siempre con los extremos atados, y dejar secar a la sombra, en este caso sí colgada, para que la lana se estire. Para terminar el proceso de estirado, hay que planchar la madeja del mismo modo que los tejidos.

UN BUEN OVILLADO

Las lanas para tejer a mano, en especial las que tienen mucho pelo o nudos, deben ovillarse a mano, para que los ovillos resulten flojos. Si se ovilla con devanador, la madeja debe estar bien desenredada,

TÉCNICA DE ENDURECIMIENTO

Ingredientes y preparación:
◆100 cm³ de agua fría. ◆6 cucharadas grandes de azúcar.◆Disolver el azúcar hasta que no queden cristales.

Procedimiento:
Sumergir la pieza en el agua azucarada hasta que se empape bien. Colocarla en un molde, donde se secará y tomará su forma.
No dejar secar al sol ni cerca de la hornalla, ya que se puede cambiar de color al formar la solución un caramelo.

porque de lo contrario, el aparato se traba. Igualmente, al ovillar con devanador se corre el riesgo de que el ovillo quede muy ajustado y el hilado se estire demasiado.

EL GUARDADO

Cuando de una temporada a la otra se guardan prendas o una producción importante, hay que tomar determinadas medidas. Primero, hay que lavarlas con el jabón específico, porque las manchas se asientan más con el tiempo y después resulta muy difícil sacarlas. Luego, se recomienda guardarlas en bolsas de polietileno cerradas y con algún producto matapolillas.

EL LAVADO

● Los artículos tejidos se lavan con agua fría y, preferentemente, a mano, con jabón especial para prendas finas.

● En el caso de las prendas de dos o más colores se recomienda utilizar jabón neutro, que evita que destiñan.

● En ningún caso hay que dejar las prendas en remojo más de unos pocos minutos y menos aún refregarlas. Se lavan presionándolas contra el fondo del recipiente del lavado. Tampoco deben "levantarse" con toda el agua.

● Luego de enjuagarlas, presionar sobre ellas para quitarles parte del agua. Centrifugar y poner a secar extendidas a la sombra, jamás colgadas. En el caso de las prendas más largas, como una mochila o una bufanda, conviene secarlas sobre una rejilla de metal, estiradas.

● En lugar de centrifugar, se las puede "envolver" en una toalla seca durante una hora. Recién después se ponen a secar.

EL PLANCHADO

Colocar la prenda del revés sobre la mesa de planchar y sujetar con alfileres (si el tamaño lo justifica), para que no se deforme. Poner encima un lienzo húmedo y dar pequeños toques con la plancha, sin deslizarla sobre la prenda. NO planchar los puntos en relieve, porque quedan chatos.

● Es común, cuando seteje con hilo macramé que éste se retuerza y forme nudos. Para evitarlos hay que fijar el hilo al ovillo por medio de una aguja o un alfiler y sujetarlo por el lado de la labor de modo que el ovillo quede suspendido en forma de péndulo hasta que el hilo se haya desarrollado. Realizar esta operación cada vez que le dificulte tejer con el hilo.

● El punto cangrejo es ideal para terminaciones, ya que su forma no permite continuar el tejido y deja un aspecto de mayor prolijidad.

UN TEJIDO 10 PUNTOS

● *Para lograr que el tejido quede lo más parejo posible, tejer siempre con la misma tensión, no dejar nunca el tejido a mitad de una hilera y evitar que otra persona "ayude", porque cada uno tiene su forma de tejer.*

● *Cada tanto, observar el tejido y controlarlo, para subsanar a tiempo cualquier error.*

● *Nunca atravesar el tejido y el ovillo con la aguja, porque pueden quedar marcas.*

● *Para que el tejido esté siempre impecable, mantener envuelto en una toalla o lienzo y tejer siempre con las manos limpias. Las manchas originadas en el manoseo, después resultan muy difíciles de eliminar.*

El arte de vender tejidos a crochet

Una de las claves de la vigencia de esta artesanía radica
en su cambio permanente y adaptación a las modas.
Esto es primordial para favorecer la buena marcha del negocio.

Debe haber pocas artesanías que, pasados los años mantengan intacto su encanto. El tejido es una de ellas y así como las prendas de punto tejidas con dos agujas han vuelto a ganar adeptos en el mundo entero, el crochet es la mejor alternativa para realizar la más amplia variedad de accesorios, que van desde las bufandas hasta los gorros, pasando por bolsos, mochilas, apliques, así como también innumerables artículos para el hogar, por ejemplo almohadones, cortinas y perchas.

Esto es posible gracias a que los artesanos han sabido adaptarse a los tiempos que corren y crearon diseños nuevos, modernos y originales. Por otro lado, también han variado los materiales. A las lanas y fibras tradicionales se han agregado texturas novedosas como el chenille y el lúrex. Vale decir: el crochet se presenta como una oportunidad inmejorable para encarar un emprendimiento comercial.

AL TOMAR LA DECISIÓN

La mayor dificultad para lanzarse a un negocio independiente, unipersonal (en la mayoría de los casos) y de giro pequeño (por lo menos, en sus inicios), está en el temor que genera la inexperiencia. Por lo general, a uno lo asaltan las fantasías de fracaso, cuando en realidad un negocio se debe montar con un riesgo calculado, es decir, midiendo cuánto se puede ganar o perder y estar preparándose para afrontarlo. De esta forma, nada de lo que suceda será sorprendente o catastrófico.

Por un lado están los cálculos de inversión y ganancia, que varían según las características de la empresa. Por el otro, hay que pensar que es necesario un cambio de actitud, asumir nuevas responsabilidades.

Finalmente, cabe recordar que un proyecto bien diseñado protege la inversión y el esfuerzo realizados. Los términos de un buen diseño contemplan:

●Definición del producto: qué servicio o producto se va a ofrecer, que debe estar de acuerdo con el gusto y los conocimientos personales. También, debe ser factible de ser requerido en el mercado. En el caso del crochet, las perspectivas son especialmente alentadoras para quienes dominan la técnica de toda la vida. Las que recién se inician deben saber que esta limitación restará cierto margen de ganancia, el que deriva de hacer las cosas con velocidad porque se domina la técnica. Lo que a una experta le lleva un día, a una inexperta le tomará tres jornadas. Hay que contar el tiempo que le lleva más lo que deberá rehacer por errores en la ejecución. Por eso, siempre se recomienda encarar un negocio cuando el dominio de la técnica está probado.

● Las expectativas deben ser razonables.

● Las funciones deben estar muy bien definidas.

●También deben estar determinados los objetivos a cumplir a corto, mediano y largo plazo y las responsabilidades que deben asumir quienes integren la empresa. Si es unipersonal, lo que debe analizarse a fondo es cómo acompañará la familia. Si bien es cierto que la inestabilidad económica de algunos países impide hacer mayores proyecciones, de todos modos es conveniente ponerse metas (con fechas incluidas), para poder ir evaluando los resultados en función de estos índices.

● Por último, es fundamental la capacidad de renuncia. Si en algún momento los números comienzan a dicar que el proyecto no es viable, habrá que renunciar a él y no insistir con lo que no funciona. Esto último es lo que en definitiva lleva a una derrota.

En el peor de los casos, se está hablando de cerrar la empresa. Pero en muchas oportunidades sucede que el desarrollo del negocio no sigue el camino previsto y obliga a cambiar de rumbo.

Por ejemplo, tal vez uno se haya dedicado a hacer todo tipo de apliques para accesorios y prendas de vestir, mientras los mejores clientes eran bazares y blanquerías, que buscan productos para decorar la casa, esto obliga a concentrarse en almohadones, alfombras y cortinas. Contar con la reacción para decidir y ejecutar el cambio de rumbo es clave para alcanzar el éxito. Si se asume el riesgo como tal y se reconoce el fracaso a tiempo, el emprendimiento, aunque no haya resultado como uno esperaba, habrá sido una ganancia en experiencia que permitirá volver a empezar con muchas más posibilidades de éxito, o hacer la conversión ya planteada.

ANTES DE EMPEZAR

Una vez tomada la decisión de encarar el negocio de vender artículos de crochet, es imprescindible hacer un análisis de la situación. Las preguntas a formularse son:

¿Estaré en condiciones de iniciar este negocio?

Básicamente, las cuestiones a tener en cuenta son: el lugar de trabajo, que suele ser el hogar, con todo lo que esto implica, y la actitud del entorno, es decir, la familia. Como en todo trabajo, es fundamental establecer reglas, horarios y límites, respetarlos y hacerlos respetar.

¿Hay un mercado para mis productos?

Determinar a quiénes les puede interesar nuestra producción es primordial para realizar el catálogo de muestra. Si uno se va a abocar a un determinado rubro, por ejemplo, blanquería, el muestrario debe limitarse estrictamente a ese tipo de productos. En cambio, si uno prefiere tantear todos los clientes posibles, deberá prever la realización de un muestrario más amplio, que además de productos puede incluir un catálogo de fotos.

¿Les gustará a los demás lo que fabrico?

Una manera sencilla de ver la reacción de los clientes potenciales es mostrarles los productos a la gente de nuestro entorno y pedirles que sean honestos. Esas opiniones resultan de mucha utilidad, porque aunque se trate de allegados, son consideraciones ajenas.

¿Qué se ofrece en el estilo de lo que voy a hacer?

Es importante ver qué tipo de artículos de crochet hay en los comercios. En parte, para ver las tendencias en cuanto a modelos y colores, y los precios que se están manejando. Pero, además, tiene que servir para que uno pueda diferenciarse. Si se hace lo mismo que el resto, seguramente se conseguirá algún cliente, pero también es posible que las empresas estén conformes con sus proveedores y no deseen cambiarlos.

En cambio, si uno hace productos novedosos, se asegura clientela porque nadie, excepto uno, puede proveerle ese artículo. Cuidado: tampoco en nombre de la novedad no se puede hacer cualquier cosa. A lo que hay que apuntar es a usar colores y combinaciones originales, crear modelos distintos y variantes inexistentes en el mercado. Por ejemplo, las prendas de vestir tejidas a crochet prácticamente saturaron el mercado del mundo entero. En cambio, en lo referente a accesorios el mercado aún está en expansión. Por ejemplo, la alfombra y el cesto de género de la página 6 conforman un conjunto realmente novedoso. Otro tanto sucede con las cartucheras de la página 12 y el conjunto de camisón y pantuflas infantiles de la página 16 , sólo por dar algunos ejemplos. También hay que animarse a dar funciones nuevas a los artículos. El bolso pañalero siempre es de tela y las mochilas parece que son únicamente para los adolescentes y jóvenes. Pero si se teje del tamaño del paquete de pañales y se le hacen bolsillos laterales, todo en tonos pastel, se obtiene el bolsón de pañales de la página 20. Desarrollar la creatividad no es sencillo, pero es cuestión de "delirar" un poco, tirar ideas para que vayan surgiendo los objetos más originales.

En cuanto a los colores, al comprarlos hay que poner los ovillos uno al lado de otro. Así se establecen uniones impensadas, que en la imaginación parecen inarmónicas y que en la realidad quedan lindísimas.

De hecho, hasta que uno no lo ve, no pensaría que el turquesa y el verde manzana combinan tan bien. Pero, a veces, esas coloraciones diferentes, audaces y jugadas marcan una diferencia con el resto. Es cuestión de animarse. Después de todo, cualquier empresa siempre supone riesgos.

LUGAR Y TIEMPO DE TRABAJO

El tejido a crochet ofrece una ventaja única: se puede llevar la "fábrica" en la cartera, siempre y cuando no se esté hablando de una manta de dos plazas. Pero esto se puede transformar en una desventaja si en algún momento el tejido se termina realizando en los momentos libres o sólo como pasatiempo. Una cosa es aprovechar el tiempo perdido mientras se hace una cola y otra muy distinta encarar una empresa. Por pequeña que ésta sea, hay que establecer un sector de trabajo, horarios, y cumplirlos (y hacerlos cumplir, como ya se dijo antes).

Cuando un hobby se transforma en un medio de vida la diferencia la establece la disciplina. Ya no es una tarea que se realiza cuando uno tiene ganas, por puro placer o para hacerse o hacerle algo a alguien; pasa a ser la fabricación de un producto para vender, en muchos casos es un encargo. Allí la situación se complica, porque tampoco es cuestión de quedarse dos noches sin dormir para cumplir con el pedido, sino de establecer límites, horarios y reglas.

Si uno piensa en un ovillito y la aguja de crochet pensaría que hablar de lugar de trabajo carece de seriedad. Pero, con el tiempo, las agujas se acumulan, empiezan a sobrar ovillos de todo tipo, de diversos trabajos. A su vez, si uno ve una oferta conveniente, aprovecha para comprar. Por otra parte, es conveniente tener cierto stock de hilados, para poder ofrecer determinados colores sobre seguro. Si no, se corre el riesgo de aceptar un pedido de veinte almohadones para guardar camisones, en color turquesa y después no poder cumplir, porque no se consigue el tono. Es recomendable ir armándose un stock de diversos hilados en diferentes colores, para ofrecer algo concreto. Porque cashmilon blanco se consigue en cualquier lanería, pero un determinado tono de fucsia, lila o verde no es tan sencillo de obtener. Por lo tanto, va a ser necesario disponer de lugar para:

● Guardar lo que se está tejiendo.
● Guardar lo que ya está tejido y listo para entregar.

● Guardar lo que se tejió y se tiene para ofrecer.
● Guardar los ovillos sin usar y los restos que van quedando de los distintos trabajos. Conviene tenerlos por separado, para facilitar la búsqueda. Estos sobrantes se aprovechan para hacer bordados o apliques, como las mariposas de la página 22.
● Archivar las revistas y los libros de tejido.

Un buen armario, con estantes y cajones puede ser una buena solución. También una cajonera y un baúl de madera pueden resultar útiles. En cualquier caso, debe tratarse de un espacio que se pueda cerrar, para que no entren insectos ni polvillo. Además, hay que airearlo a diario, para que los productos no tomen olor a humedad ni encierro. Es fundamental poner matapolillas y algunas bolsitas con hierbas aromáticas, como la lavanda, que son repelentes y despiden un perfume agradable. No se recomienda un placard, porque no hay prendas para colgar y resultaría un espacio desperdiciado.

Además hay que disponer de un buen asiento, sillón o silla. Cada uno sabe qué es lo que le resulta más cómodo. Lo ideal es armarse un lugar de trabajo y evitar ir de aquí para allá por toda la casa. Esto viene a colación de que una manualidad como el crochet es una "tentación" para cometer errores básicos en la formación de una empresa. Por pequeño que sea el rincón, conviene que el sector de trabajo esté bien diferenciado. Hay que tratar de "ir" al trabajo. Es decir, si uno está sentado tejiendo, el resto debe ver que uno está trabajando. Y ayuda a que uno lo sienta también y lo transmita a los otros. Porque el entorno está acostumbrado a que uno teja en cualquier momento, por placer o para hacerle algo a alguien, y que interrumpa con frecuencia.

En cuanto al tiempo empleado, es primordial establecer horarios para sentarse a tejer. Inclusive, si no se tiene un encargo para realizar o no se quiere hacer más stock, hay que aprovechar para practicar puntos, salir a mirar vidrieras para ver las tendencias y colores, o visitar nuevos clientes.

El tiempo debe aprovecharse siempre y antes de hacer otra cosa, uno debe preguntarse: si yo estuviera en una oficina, ¿hubiera podido tomarme la mañana para realizar estos trámites? Es cierto que el cuentapropismo otorga la libertad de manejar los horarios a discreción, pero también resulta que si uno no se impone una disciplina medianamente rígida, se corre el riesgo de malograr la empresa.

LA PRIMERA PRODUCCIÓN

Está formada por el muestrario que se va a ofrecer a modo de promoción para los potenciales clientes. Una vez que se decide qué tipo de artículos se va a tejer, se hace la primera compra de hilados, de acuerdo con lo que se necesitará. Nunca antes, porque se corre el riesgo de comprar algo que no sea imprescindible.

El muestrario debe ser lo suficientemente variado para dar una idea acabada de todo lo que uno puede ofrecer. Además de los productos en sí, mostrará el gusto y el estilo que uno cultiva, la prolijidad en el tejido y las terminaciones y la calidad de los hilados empleados.

Una ventaja que ofrece el crochet es que, por lo general, los tejidos no son demasiado grandes ni pesados, lo que permite transportar una buena cantidad de mercadería sin necesidad de cargar mucho peso. Es fundamental preparar tarjetería.

COSTOS Y PRECIOS

Cuando se crea una empresa, primero hay que decidir qué se va a vender y luego hay que empezar a pensar en números. Son tres los ítems a tener en cuenta: inversión inicial, insumos y costos. El primer paso consiste en comprar los insumos necesarios. Un beneficio que presenta el tejido en general es que las tejedoras suelen disponer de unas cuantas agujas. Es decir que la llamada inversión inicial es probable que se limite al lugar de guardado (armario, cajonera, baúl) y a los hilados para la realización del muestrario. Este primer gasto se amortiza con el tiempo, porque se traslada sólo un porcentaje al precio final. Es conveniente buscar lanerías que ofrezcan buena calidad y mejores precios. Esto es primordial porque es el principal costo a tener en cuenta cuando se establece el precio de venta.

Hay dos tipos de insumos. Algunos se compran una vez y se usan durante mucho tiempo (agujas, lugares de guardado) y otros se adquieren en la medida que se necesitan

(hilados, botones, cintas). Los primeros son los que se amortizan con diversos trabajos y los segundos deben recuperarse con el producto para el que se usaron.

Por último, están los costos, fijos y variables, más los gastos de venta.

● *Costos fijos:* son los de la estructura (alquiler, sueldos, impuestos, servicios, jubilación y seguro). Se mantienen constantes más allá de los vaivenes de la producción. En el caso de este microemprendimiento, prácticamente no hay costos fijos.

● *Costos variables:* abarcan todos los materiales de trabajo. Se denominan así porque se modifican junto con la producción: si se compra y se fabrica más, aumentan estos costos. Esto no implica un aumento de precios, aunque teóricamente debería representar una mayor ganancia.

● *Gastos de venta:* son los causados por el hecho de vender, por jemplo comisiones y traslados.

Siempre se recomienda que los costos fijos sean lo más bajos posibles, así las ganancias se puedan aprovechar para obtener las mejores condiciones en la compra de materiales y herramientas. En cuanto al precio, éste se establece sumando los costos de fabricación (materiales, mano de obra, costos fijos) y dividiendo por la cantidad de artículos tejidos. Pero en el caso de las empresas chicas el precio suele provenir del mercado. Por eso, antes de calcular precios hay que analizar qué se le agrega al tejido para mejorarlo y cargarlo un poco más. En cambio, el precio no depende del mercado cuando el tejido que se ofrece es realmente una novedad, por lo menos hasta que aparezca un competidor. La mejor manera de incrementar las ganancias consiste en realizar una compra racional de insumos. De todos modos, hay que saber que con algunos productos se ganará más y con otros, menos.

Para determinar el precio de un artículo, debe calcularse el costo del trabajo. Éste está integrado por:

● *Los materiales utilizados:* hilado, botones, cintas y demás accesorios (para calcular el gasto por objeto, se divide el costo del material por la cantidad de artículos que permitió tejer).

● *Amortización de la inversión inicial y compra de herramientas:* un porcentaje.

● *Trabajo:* a partir del 50 por ciento más sobre la suma de los dos items anteriores.

Ejemplo: si entre hilados y accesorios se gastaron 5 pesos, y se agregan 0,50 centavos como amortización de capital inicial, el recargo por el trabajo es a partir de 2,75. Algunas tejedoras directamente lo duplican, es decir, lo cobran 11 pesos. Lo habitual es calcular el porcentaje de recargo por trabajo de acuerdo con el pedido. No es lo mismo vender 3 almohadones para un particular que 20 para una tapicería. Evidentemente, el porcentaje de ganancia por objeto será menor, porque la ganancia aumentará en la cantidad encargada. Para poder establecer buenos precios es imprescindible comprar a buenos precios, si no el costo elevado de los materiales se trasladará inevitablemente al valor del artículo. La calidad se paga. Por lo tanto, queda en cada uno saber qué privilegia: si el precio o la calidad del material. En realidad, lo más recomendable es recorrer una buena cantidad de lanerías y tejedurías para buscar condiciones de venta ventajosas que permitan no resignar calidad. Inclusive, hay que animarse a pedir descuentos por compras mayoristas.

COSTO EXTRA

A diferencia de otras manualidades, es común que las tejedoras deriven parte del trabajo a otras colegas. En ese caso, antes de dar un precio o aceptar una fecha de entrega, hay que calcular si no será necesario contratar a una o más personas para dar abasto con el pedido.

LA MEJOR VENTA

El corazón del negocio es su comercialización. Lo ideal es que la venta la encare uno mismo, que es quien mejor sabe cuáles son las características del producto. Igualmente, si uno no se siente capacitado para vender, es preferible tomar a un corredor que se encargue del tema. A la elección de la persona hay que dedicarle todo el tiempo necesario, porque será la imagen de la empresa. Debe tratarse de alguien con un excelente trato y una buena receptividad, para que pueda trasladarle a uno los comentarios de los clientes. Si aporta una cartera de clientes, suma puntos a favor. Hasta que se vean

los resultados, es preferible trabajar únicamente a comisión, sin viáticos. En cuanto a los clientes, al principio se puede optar por dejar la mercadería en consignación. En la medida en que vean que la mercadería tiene salida, ya encargarán por su cuenta.

Con respecto a la clientela, mientras se va tejiendo el muestrario conviene ir armando un listado de lugares donde se puede ofrecer la mercadería. En todos los casos, se recomienda concertar previamente una entrevista, para evitar llegar en un momento inadecuado. Los especialistas sostienen que no suele haber una segunda oportunidad para una mala primera impresión.

En cuanto a los clientes en sí, los hay tradicionales y no tradicionales. Entre los primeros podemos contar las casas de decoración para las cortinas y los almohadones, o las de ropa para las fajas, bufandas y mochilas. Pero una buena manera de armarse una cartera de clientes en menos tiempo es buscar alternativas. Por ejemplo, los apliques les sirven a los confeccionistas de ropa y a las modistas, así como a las mercerías. Los elementos de decoración le pueden interesar a los propios decoradores, para incluir detalles originales en sus trabajos. El rosario y el misal seguramente se pueden ubicar en una santería, pero donde venden vestidos y ropa de comunión seguramente les interesará poder ofrecer otros elementos relacionados. En cuanto a otros artículos como bufandas, sombreros, apliques, fajas y mochilas no hay que descartar las ferias artesanales como canal de venta. Es decir, si se aguza el ingenio, cuanto más se abran las alternativas, mayores serán las posibilidades de obtener clientes.

Índice

objetos en crochet

Dirección de la colección: Isabel Toyos
Producción editorial y diseño: María Matilde Bossi
Fotos: Ariel Gutraich
Producción fotográfica: Matilde Asenzo
Redacción e informes: Florencia Romeo
Ilustraciones: Patricia Charo
Corrección: Marisa Corgatelli

© Longseller S.A., 2010

Editorial Longseller S.A.
Administración y ventas:
Costa Rica 5238 (B1615GKT) Grand Bourg
Malvinas Argentinas, Bs. As., Argentina
(03327) 41-4600
ventas@longseller.com.ar
www.longseller.com.ar

Buerba, Marta
  Crochet - 1a ed. 2a reimp. - Buenos Aires : Longseller, 2010.
  64 p. ; 23x21 cm. (Practideas)

  ISBN 978-987-550-286-4

  1. Tejido Crochet. I. Título
  CDD 746.434

Queda hecho el depósito que marca la ley 11.723.

Impreso y hecho en la Argentina.
Printed in Argentina.

Dedicatoria

A mi hijo Sebastián.

Marta Buerba

Agradecimientos

- Hilados Otranto. Montarce 1499. Haedo.
Provincia de Buenos Aires. Tel. 4443-2000.
- Taller de tejidos Zouffy. Scalabrini Ortiz 973.
Ciudad de Buenos Aires. Tel. 4772-8796.

Esta edición de 3000 ejemplares se terminó
de imprimir en la Planta Industrial de Sevagraf S. A.,
en Buenos Aires, República Argentina,
en febrero de 2010.